FAMOUS CHINESE PERSONALITIES

中国名人传记

PART 8

BIOGRAPHY OF LI BAI

李白传

XURAN DU 杜栩然

ACKNOWLEDGEMENT

I would like to express my deepest gratitude to my friends, colleagues, and loved ones to help me reach this milestone to produce books to help the foreigners better understand the Chinese language and culture.

INTRODUCTION

With a history stretching over 5000 years, China has produced numerous famous personalities who left indelible remarks on the lives of Chinese people. Some of the famous names include **Confucius** (孔子), **Laozi** (老子), **Sunzi** (孙子), etc. The contributions of these people are very important in Chinese language and culture. For the students of Mandarin Chinese, it's absolutely necessary to gain at least a basic knowledge about the lives of these legends. The "**Famous Chinese Personalities**" book series includes biographies of these famous people. The books are divided in about 20-25 chapters. The whole series is aimed at the **beginner** students of Chinese language. All the chapters for a given book contain similar topics written in different wordings. Hence, the books will help the beginners master reading Chinese texts.

CONTENTS

Chapter 1 (Biography Part 1)

李白，字太白，号青莲居士，又号"谪仙人"，唐朝伟大的浪漫主义诗人，被后人誉为"诗仙"，与杜甫并称为"李杜"。他的祖籍是陇西成纪（今甘肃省秦安县），而出生地则有蜀郡绵州昌隆县（今四川省江油市青莲乡）和西域碎叶两种说法。

李白生于公元701年2月28日，他的一生充满传奇色彩。他为人爽朗大方，乐于交友，爱好饮酒作诗，名列"酒中八仙"。他的诗作多抒发个人情感和自然景物描写，同时也写了不少抒发社会现实和政治抱负的作品，表达了他对自由、浪漫和人生意义的追求。

在仕途上，李白虽然年轻时曾多次参加科举考试，但都未能中举。然而，他凭借出色的文采和诗才，得到了唐玄宗李隆基的赏识，担任过翰林供奉。但随后又因种种原因被赐金放还，游历全国。他的游历生涯丰富了他的人生阅历，也为他的诗歌创作提供了源源不断的灵感。

在情感生活方面，李白先后迎娶过宰相许圉师、宗楚客的孙女。然而，他的一生并非一帆风顺，唐肃宗李亨即位后，他卷入永王之乱，被流放夜郎，辗转到达当涂县令李阳冰家。

在诗歌创作上，李白有着极高的成就。他的诗歌作品数量众多，题材广泛，包括山水田园、历史典故、咏史抒怀等。他的诗作以其深情、奔放、豪放和崇高的艺术境界而闻名于世。他善于运用形象生动的描写手法，以及比喻和象征的修辞手法，将自然景物与人生哲理相结合，赋予了诗歌深厚的文化底蕴和内涵。他的诗作在形式上追求自由奔放、意象丰富，开辟了后世诗歌的新境界，对后来的文人有着深远的影响。

李白对诗歌的热爱和执着，使他在创作过程中形成了独特的风格和特点。他的诗歌才华被广大读者所认可和喜爱，他的诗作被广泛传播，不仅在中国文学史上占有重要地位，而且也对世界诗坛产生了深远的影响。

公元 762 年 12 月，李白因病在当涂去世，享年六十二岁。他的一生虽然充满了坎坷和波折，但他的诗歌才华和人格魅力却永远留在了人们的心中。他的诗歌成为了中国文学史上的瑰宝，他的形象也成为了中国文化中的重要符号之一。

李白的一生充满了传奇色彩，他的诗歌才华和人生经历都令人敬仰和感慨。他用自己的诗歌和人生诠释了什么是真正的浪漫主义诗人，他的诗歌和人生都成为了后人学习和传承的宝贵财富。

李白，字太白，号青莲居士，被誉为"诗仙"，唐朝时期伟大的浪漫主义诗人。他的一生充满了传奇色彩，其诗歌作品更是流传千古，影响深远。

李白于公元 701 年出生于蜀郡绵州昌隆县（今四川省江油市青莲乡），自幼聪明过人，喜好读书，尤其钟爱诗歌。他年少时便展现出非凡的才华，常常即兴赋诗，令人赞叹不已。然而，他的仕途却并不顺利，多次参加科举考试都未能中举，但他并未因此气馁，反而更加专注于诗歌创作。

在诗歌创作上，李白以其独特的风格和才华，成为了唐朝诗坛的璀璨明星。他的诗歌作品数量众多，题材广泛，既有描写山水田园的清新之作，又有抒发个人情感的豪放之篇。他的诗作情感真挚，意境深远，语言优美，给人以极大的艺术享受。

除了诗歌创作，李白还热爱游历山水，结交志同道合的朋友。他游历过许多名山大川，与众多文人墨客交游，这些经历不仅丰富了他的人生阅历，也为他的诗歌创作提供了源源不断的灵感。

然而，李白的一生并非一帆风顺。他曾经历过仕途的坎坷，也曾在政治上遭受打压。但他始终保持着乐观豁达的心态，以诗歌为伴，以酒为友，过着逍遥自在的生活。

晚年时期，李白因病在当涂去世，享年六十二岁。他的一生虽然短暂，但他的诗歌才华和人格魅力却永远留在了人们的心中。他的诗歌成为了中国文学史上的瑰宝，他的形象也成为了中国文化中的重要符号之一。

李白的诗歌和人生经历都充满了传奇色彩。他的诗歌才华和个性魅力使他成为了中国文学史上的一位巨匠，他的诗歌作品不仅具有极高的艺术价值，也深刻地反映了当时社会的风貌和人民的生活状态。他的诗歌中充满了对自由、浪漫和人生意义的追求，对后世的文人墨客产生了深远的影响。

总的来说，李白是一位充满传奇色彩的诗人，他的一生充满了坎坷和波折，但他的诗歌才华和人格魅力却永远留在了人们的心中。他的诗歌作品不仅具有极高的艺术价值，也是中国文化的重要组成部分，对后世产生了深远的影响。

李白，字太白，号青莲居士，唐朝时期的伟大诗人，被后人誉为"诗仙"。他的一生充满了传奇色彩，其诗歌作品更是流传千古，影响深远。

李白出生于公元 701 年，祖籍陇西成纪（今甘肃省秦安县）。他的出生地有多种说法，其中蜀郡绵州昌隆县（今四川省江油市青莲乡）最为人所知。李白自幼聪颖过人，喜爱读书，尤其钟爱诗歌。他年少时便展现出非凡的才华，常常即兴赋诗，令人赞叹不已。

然而，李白的仕途却并不顺利。他多次参加科举考试，但每次都未能中举。尽管未能走上仕途，但他并未因此气馁，反而更加专注于诗歌创作。他游历名山大川，结交志同道合的朋友，这些经历不仅丰富了他的人生阅历，也为他的诗歌创作提供了源源不断的灵感。

李白的诗歌才华得到了唐玄宗李隆基的赏识，他曾任翰林供奉，但随后又因种种原因被赐金放还。这一时期，李白开始了他的游历生涯，足迹遍布大江南北。他游历过许多名山大川，与众多文人墨客交游，这些经历都深深影响了他的诗歌创作。

李白的诗歌作品数量众多，题材广泛。他的诗作情感真挚，意境深远，语言优美，给人以极大的艺术享受。他的诗歌既有描写山水田园的清新之作，又有抒发个人情感的豪放之篇。他的诗作中充满了对自由、浪漫和人生意义的追求，展现了他独特的个性和魅力。

除了诗歌创作，李白还热爱饮酒，他常常以酒为伴，借酒消愁或助兴。他的酒量和酒品都为人所称道，他在酒中寻求灵感，也在酒中寄托情感。他的许多诗歌都是在酒后即兴创作而成，充满了豪放和奔放的气息。

然而，李白的一生并非一帆风顺。他经历过仕途的坎坷，也曾在政治上遭受打压。但他始终保持着乐观豁达的心态，以诗歌为伴，以酒为友，过着逍遥自在的生活。他的诗歌和人生经历都充满了传奇色彩，成为了后人学习和传承的宝贵财富。

晚年时期，李白因病在当涂去世，享年六十二岁。他的一生虽然短暂，但他的诗歌才华和人格魅力却永远留在了人们的心中。他的诗歌成为了中国文学史上的瑰宝，他的形象也成为了中国文化中的重要符号之一。

总的来说，李白是一位充满传奇色彩的诗人。他的一生充满了坎坷和波折，但他的诗歌才华和个性魅力使他成为了中国文学史上的一位巨匠。他的诗歌作品不仅具有极高的艺术价值，也深刻地反映了当时社会的风貌和人民的生活状态。他的诗歌和人生经历都充满了传奇色彩，对后世的文人墨客产生了深远的影响。

Chapter 4 (Biography Part 4)

李白，字太白，号青莲居士，生于公元 701 年，卒于公元 762 年，享年六十二岁。祖籍陇西成纪（今甘肃省秦安县），然而关于他的出生地，却存在多种说法，其中最为人知的是蜀郡绵州昌隆县（今四川省江油市青莲乡）。他的一生充满了传奇色彩，被誉为"诗仙"，是中国古代文学史上的璀璨明星。

李白自幼聪颖过人，对诗歌有着浓厚的兴趣和天赋。他年少时便开始读书识字，钟爱诗词歌赋，常常即兴赋诗，其才华初露锋芒。然而，仕途并非一帆风顺，李白多次参加科举考试，但每次都未能中举，这使他深感仕途之艰难。

尽管仕途失意，但李白并未因此放弃对诗歌的热爱和追求。他开始游历名山大川，结交志同道合的朋友，寻找创作灵感。他的足迹遍布大江南北，从繁华的京城到偏远的乡野，从高耸的山川到浩渺的江湖，都留下了他的诗篇和足迹。

李白的诗歌才华得到了唐玄宗李隆基的赏识，他曾任翰林供奉，为宫廷撰写诗文。然而，他个性豪放不羁，不愿受到宫廷礼节的束缚，最终选择离开京城，继续他的游历生涯。

在游历的过程中，李白结交了许多文人墨客，他们共同饮酒赋诗，畅谈人生。李白的诗歌作品数量众多，题材广泛，既有描写山水田园的清新之作，又有抒发个人情感的豪放之篇。他的诗作情感真挚，意境深远，语言优美，给人以极大的艺术享受。

除了诗歌创作，李白还热爱饮酒。他常常以酒为伴，借酒消愁或助兴。他的酒量和酒品都为人所称道，他在酒中寻求灵感，也在酒中寄托情感。他的许多诗歌都是在酒后即兴创作而成，充满了豪放和奔放的气息。

然而，李白的一生并非一帆风顺。他经历过仕途的坎坷，也曾在政治上遭受打压。但他始终保持着乐观豁达的心态，以诗歌为伴，以酒为友，过着逍遥自在的生活。他的诗歌和人生经历都充满了传奇色彩，成为了后人学习和传承的宝贵财富。

晚年时期，李白因病在当涂去世，享年六十二岁。他的一生虽然短暂，但他的诗歌才华和人格魅力却永远留在了人们的心中。他的诗歌成为了中国文学史上的瑰宝，他的形象也成为了中国文化中的重要符号之一。

总的来说，李白是一位充满传奇色彩的诗人。他的一生充满了坎坷和波折，但他的诗歌才华和个性魅力使他成为了中国文学史上的一位巨匠。他的诗歌作品不仅具有极高的艺术价值，也深刻地反映了当时社会的风貌和人民的生活状态。他的诗歌和人生经历都充满了传奇色彩，对后世的文人墨客产生了深远的影响。他的一生如同一部波澜壮阔的史诗，永远铭刻在中国文学史上。

Chapter 5 (Biography Part 5)

李白，字太白，号青莲居士，被誉为"诗仙"，他是唐朝时期的伟大诗人，其诗歌作品流传千古，影响深远。他的一生充满了传奇色彩，其人生经历与诗歌创作相互交织，共同构成了一幅波澜壮阔的画卷。

李白于公元 701 年出生于蜀郡绵州昌隆县（今四川省江油市青莲乡），自幼聪颖过人，对诗歌有着浓厚的兴趣和天赋。他年少时便开始读书识字，钟爱诗词歌赋，常常即兴赋诗，其才华初露锋芒。然而，仕途并非一帆风顺，李白多次参加科举考试，但每次都未能中举，这使他深感仕途之艰难。

尽管仕途失意，但李白并未因此放弃对诗歌的热爱和追求。他开始游历名山大川，结交志同道合的朋友，寻找创作灵感。他的足迹遍布大江南北，从繁华的京城到偏远的乡野，从高耸的山川到浩渺的江湖，都留下了他的诗篇和足迹。他的诗歌作品数量众多，题材广泛，既有描写山水田园的清新之作，又有抒发个人情感的豪放之篇。他的诗作情感真挚，意境深远，语言优美，给人以极大的艺术享受。

李白的诗歌才华得到了唐玄宗李隆基的赏识，他曾任翰林供奉，为宫廷撰写诗文。然而，他个性豪放不羁，不愿受到宫廷礼节的束缚，最终选择离开京城，继续他的游历生涯。在游历的过程中，他结交了许多文人墨客，他们共同饮酒赋诗，畅谈人生。李白的诗歌与酒文化紧密相连，他常常以酒为伴，借酒消愁或助兴。他的酒量和酒品都为人所称道，他在酒中寻求灵感，也在酒中寄托情感。

然而，李白的一生并非一帆风顺。他经历过仕途的坎坷，也曾在政治上遭受打压。但他始终保持着乐观豁达的心态，以诗歌为伴，以酒为友，过着逍遥自在的生活。他的诗歌和人生经历都充满了传奇色彩，成为了后人学习和传承的宝贵财富。

晚年时期，李白因病在当涂去世，享年六十二岁。他的一生虽然短暂，但他的诗歌才华和人格魅力却永远留在了人们的心中。他的诗歌成为了中国文学史上的瑰宝，他的形象也成为了中国文化中的重要符号之一。

李白的诗歌作品不仅具有极高的艺术价值，也深刻地反映了当时社会的风貌和人民的生活状态。他的诗歌中充满了对自由、浪漫和人生意义的追求，展现了他独特的个性和魅力。他的诗歌风格豪放奔放，意境开阔，语言生动，给人以强烈的视觉冲击和情感共鸣。

总的来说，李白是一位充满传奇色彩的诗人。他的一生充满了坎坷和波折，但他的诗歌才华和个性魅力使他成为了中国文学史上的一位巨匠。他的诗歌作品和人生经历都充满了传奇色彩，对后世的文人墨客产生了深远的影响。他的一生如同一部波澜壮阔的史诗，永远铭刻在中国文学史上。

Chapter 6 (Biography Part 6)

李白，字太白，号青莲居士，唐朝时期的杰出诗人，被誉为"诗仙"。他的一生充满了传奇色彩，其诗歌作品流传千古，影响深远。

公元 701 年，李白诞生于蜀郡绵州昌隆县（今四川省江油市青莲乡）。他自幼聪颖过人，天赋异禀，钟爱诗词歌赋，常常即兴赋诗，展现出非凡的才华。少年时期的李白便怀揣着远大的志向，渴望在仕途上有所作为。然而，尽管他多次参加科举考试，却都未能中举，这使他深感仕途之艰难。

仕途的失意并未击垮李白的意志，反而激发了他对诗歌创作的热情。他开始游历名山大川，结交志同道合的朋友，以寻找创作的灵感。他的足迹遍布大江南北，从繁华的京城到偏远的乡野，从高耸的山川到浩渺的江湖，都留下了他的诗篇和足迹。

在游历的过程中，李白结识了许多文人墨客，他们共同饮酒赋诗，畅谈人生。李白的诗歌才华得到了广泛的认可，他的诗作情感真挚，意境深远，语言优美，给人以极大的艺术享受。他的诗歌作品数量众多，题材广泛，既有描写山水田园的清新之作，又有抒发个人情感的豪放之篇。

李白的诗歌才华也引起了唐玄宗李隆基的注意，他曾任翰林供奉，为宫廷撰写诗文。然而，李白个性豪放不羁，不愿受到宫廷礼节的束缚，最终选择离开京城，继续他的游历生涯。他的一生都在追求自由与浪漫，他的诗歌也充满了对自由、浪漫和人生意义的追求。

然而，李白的一生并非一帆风顺。他经历过仕途的坎坷，也曾在政治上遭受打压。但他始终保持着乐观豁达的心态，以诗歌为伴，以酒为友，过着逍遥自在的生活。他的诗歌和人生经历都充满了传奇色彩，成为了后人学习和传承的宝贵财富。

晚年时期，李白因病在当涂去世，享年六十二岁。他的一生虽然短暂，但他的诗歌才华和人格魅力却永远留在了人们的心中。他的诗歌成为了中国文学史上的瑰宝，他的形象也成为了中国文化中的重要符号之一。

李白的诗歌作品不仅具有极高的艺术价值，也深刻地反映了当时社会的风貌和人民的生活状态。他的诗歌风格豪放奔放，意境开阔，语言生动，给人以强烈的视觉冲击和情感共鸣。他的诗歌中充满了对自由、浪漫和人生意义的追求，展现了他独特的个性和魅力。

总的来说，李白是一位充满传奇色彩的诗人。他的一生充满了坎坷和波折，但他的诗歌才华和个性魅力使他成为了中国文学史上的一位巨匠。他的诗歌作品和人生经历都充满了传奇色彩，对后世的文人墨客产生了深远的影响。他的一生如同一部波澜壮阔的史诗，永远铭刻在中国文学史上。

Chapter 7 (Biography Part 7)

李白，字太白，号青莲居士，出生于唐朝公元 701 年，是唐代杰出的浪漫主义诗人，被誉为"诗仙"。他的一生波澜壮阔，充满传奇色彩，其诗歌作品流传千古，影响深远。

李白于公元 701 年出生于蜀郡绵州昌隆县（今四川省江油市青莲乡），他自幼聪慧过人，展现出非凡的文学天赋。然而，他的仕途并不顺利，尽管多次尝试科举考试，但始终未能中举。这并未击垮他的意志，反而激发了他对诗歌创作的热情。

李白开始游历名山大川，结交志同道合的朋友，以寻找创作的灵感。他的足迹遍布大江南北，从繁华的京城到偏远的乡野，从高耸的山川到浩渺的江湖，都留下了他的诗篇和足迹。他深入观察自然，体验人生百态，将所见所感融入诗歌之中，创作出许多脍炙人口的作品。

李白的诗歌才华得到了广泛的认可，他的诗作情感真挚，意境深远，语言优美，给人以极大的艺术享受。他的诗歌作品数量众多，题材广泛，既有描写山水田园的清新之作，又有抒发个人情感的豪放之篇。他的诗作充满了对自由、浪漫和人生意义的追求，展现了他独特的个性和魅力。

在游历的过程中，李白结识了许多文人墨客，他们共同饮酒赋诗，畅谈人生。李白的诗歌才华也引起了唐玄宗李隆基的注意，他曾任翰林供奉，为宫廷撰写诗文。然而，他个性豪放不羁，不愿受到宫廷礼节的束缚，最终选择离开京城，继续他的游历生涯。

李白的一生充满了传奇色彩。他游历四方，结交了许多志同道合的朋友，也经历了许多波折和坎坷。他曾在政治上遭受打压，但他始终保持着乐观豁达的心态，以诗歌为伴，以酒为友，过着逍遥自在的生活。

晚年时期，李白因病在当涂去世，享年六十二岁。他的一生虽然短暂，但他的诗歌才华和人格魅力却永远留在了人们的心中。他的诗歌成为了中国文学史上的瑰宝，他的形象也成为了中国文化中的重要符号之一。

李白的诗歌作品不仅具有极高的艺术价值，也深刻地反映了当时社会的风貌和人民的生活状态。他的诗歌风格豪放奔放，意境开阔，语言生动，给人以强烈的视觉冲击和情感共鸣。他的诗歌中充满了对自由、浪漫和人生意义的追求，展现了他独特的个性和魅力。

总的来说，李白是一位充满传奇色彩的诗人。他的一生充满了坎坷和波折，但他的诗歌才华和个性魅力使他成为了中国文学史上的一位巨匠。他的诗歌作品和人生经历都充满了传奇色彩，对后世的文人墨客产生了深远的影响。他的一生如同一部波澜壮阔的史诗，永远铭刻在中国文学史上。

Chapter 8 (Biography Part 8)

李白，字太白，号青莲居士，生于唐朝公元 701 年，卒于公元 762 年，享年六十二岁。他是唐代杰出的浪漫主义诗人，被誉为"诗仙"。李白的一生充满了传奇色彩，其诗歌作品流传千古，影响深远。

李白出生于蜀郡绵州昌隆县（今四川省江油市青莲乡），自幼聪颖过人，对诗词歌赋有着浓厚的兴趣。他少年时期便展现出非凡的文学天赋，常常即兴赋诗，才华初露锋芒。然而，他的仕途并不顺利，尽管多次尝试科举考试，但始终未能中举。这并未击垮他的意志，反而激发了他对诗歌创作的热情。

李白开始游历名山大川，结交志同道合的朋友，以寻找创作的灵感。他的足迹遍布大江南北，从繁华的京城到偏远的乡野，从高耸的山川到浩渺的江湖，都留下了他的诗篇和足迹。他深入观察自然，体验人生百态，将所见所感融入诗歌之中，创作出许多脍炙人口的作品。

李白的诗歌才华得到了广泛的认可，他的诗作情感真挚，意境深远，语言优美，给人以极大的艺术享受。他的诗歌作品数量众多，题材广泛，既有描写山水田园的清新之作，又有抒发个人情感的豪放之篇。他的诗作充满了对自由、浪漫和人生意义的追求，展现了他独特的个性和魅力。

在游历的过程中，李白结识了许多文人墨客，他们共同饮酒赋诗，畅谈人生。李白的诗歌才华也引起了唐玄宗李隆基的注意，他曾任翰林供奉，为宫廷撰写诗文。然而，他个性豪放不羁，不愿受到宫廷礼节的束缚，最终选择离开京城，继续他的游历生涯。

在游历中，李白结交了诸如杜甫、孟浩然等文豪，他们之间的友情和文学交流成为了中国文学史上的佳话。李白不仅以诗歌闻名，他的剑术也颇有名气，被誉为"诗剑双绝"。他常常佩剑而行，将诗歌与剑术相结合，展现出一种独特的浪漫气质。

然而，李白的一生并非一帆风顺。他曾在政治上遭受打压，但始终保持着乐观豁达的心态。他热爱自然，热爱生活，常常在诗歌中表达对人生的感悟和对自由的向往。他的诗歌和人生经历都充满了传奇色彩，成为了后人学习和传承的宝贵财富。

晚年时期，李白因病在当涂去世，享年六十二岁。他的一生虽然短暂，但他的诗歌才华和人格魅力却永远留在了人们的心中。他的诗歌成为了中国文学史上的瑰宝，他的形象也成为了中国文化中的重要符号之一。

总的来说，李白是一位充满传奇色彩的诗人。他的一生充满了坎坷和波折，但他的诗歌才华和个性魅力使他成为了中国文学史上的一位巨匠。他的诗歌作品和人生经历都充满了传奇色彩，对后世的文人墨客产生了深远的影响。他的一生如同一部波澜壮阔的史诗，永远铭刻在中国文学史上。

李白，字太白，号青莲居士，又号"谪仙人"，祖籍陇西成纪（今甘肃省秦安县），但关于他的出生地，存在不同的说法，一种观点认为他出生于蜀郡绵州昌隆县（今四川省江油市青莲乡），另一种观点则认为他出生于西域碎叶。他生于公元 701 年 2 月 28 日，逝世于公元 762 年 12月，享年六十二岁。

李白是唐朝时期的一位伟大的浪漫主义诗人，被誉为"诗仙"，与杜甫并称为"李杜"，他们二人的诗歌成就对后世影响深远。他的作品，如《望庐山瀑布》、《行路难》、《蜀道难》、《将进酒》、《早发白帝城》等，都是中国文学史上的经典之作，他的词赋在诗歌创作中具有极高的艺术成就和开创性意义。

李白为人爽朗大方，乐于交友，爱好饮酒作诗，名列"酒中八仙"。他一生游历各地，结交了许多志同道合的朋友，如贺知章等。他的诗歌风格独特，善于运用形象生动的描写手法和比喻、象征的修辞手法，将自然景物与人生哲理相结合，表达了他对自由、浪漫和人生意义的追求。

李白的人生并非一帆风顺，他多次流亡逃难，身世艰辛。然而，这些逆境并没有使他的创作热情减退，反而激发了他更深的思考和更丰富的创作灵感。他的诗作中流露出对国家复兴和社会和谐的向往，表达了对战乱和苦难的痛心之情。

总的来说，李白是一位具有深远影响力的诗人，他的诗歌才华和个性魅力使他成为后世敬仰的诗人典范。他的诗歌作品在中国文学史上占有重要的地位，对后世文人产生了深远的影响。他的形象也成为了中国文化中的一个重要符号，代表着自由奔放、豪情万丈的诗人形象，是中国浪漫主义文化的代表之一。

Chapter 10 (Biography Part 10)

李白，字太白，号青莲居士，唐朝杰出的浪漫主义诗人，被誉为"诗仙"。他的一生，既是一部波澜壮阔的诗歌史诗，也是一部充满传奇色彩的人生故事。

李白出生于公元 701 年，关于他的出生地，虽然存在多种说法，但最为人们熟知的是他出生于蜀郡绵州昌隆县（今四川省江油市青莲乡）。他自幼聪颖过人，喜爱读书，尤其擅长诗词歌赋。年轻时，他便游历四方，饱览大好河山，这为他的诗歌创作提供了丰富的素材和灵感。

李白的人生经历丰富多彩，他的一生都在追求自由与浪漫。他多次入仕，但始终未能得志，最终选择放浪形骸，寄情山水。他游历过名山大川，结交了许多志同道合的朋友，如杜甫、贺知章等，他们一起饮酒赋诗，共同探索诗歌的奥秘。

李白的诗歌风格独特，他的诗作充满了豪情壮志和奔放不羁的精神。他善于运用丰富的想象力和生动的比喻，将自然景物与人生哲理相结合，创造出独具特色的艺术境界。他的诗作中既有对山水风光的赞美，也有对人生哲理的思考，更有对自由与浪漫的向往。

尽管李白在诗歌创作上取得了卓越的成就，但他的人生并非一帆风顺。他多次遭遇政治风波，甚至一度身陷囹圄。然而，这些困境并没有击垮他，反而激发了他更深的思考和更丰富的创作灵感。他的诗歌中透露出一种坚韧不拔的精神和对人生真谛的深刻洞察。

晚年的李白，生活虽然清贫，但他的创作热情却丝毫未减。他依然坚持写诗，将自己的感悟和情感融入字里行间，留下了许多脍炙人口的作品。最终，他在公元 762 年因病逝世，享年六十二岁。

李白的一生虽然短暂，但他的诗歌却流传千古，成为中国文学史上的一朵璀璨明珠。他的诗歌作品不仅展示了他的才情和个性，也反映了唐代社会的风貌和人民的情感。他的形象和精神成为了中国文化中的一个重要符号，激励着后世的文人墨客不断追求自由、浪漫和真理。

总的来说，李白是一位具有卓越才华和传奇色彩的诗人。他的一生充满了跌宕起伏和传奇色彩，他的诗歌作品则是中国文学史上的瑰宝。他的形象和精神将永远铭刻在人们的心中，成为后人敬仰和学习的典范。

Chapter 11 (Biography Part 11)

李白，字太白，号青莲居士，又号"谪仙人"，唐朝伟大的浪漫主义诗人，被誉为"诗仙"。他的诗歌，如同璀璨的明珠，照耀着中国文学的天空，为后世留下了无尽的瑰宝。

李白出生于公元 701 年，祖籍陇西成纪（今甘肃省秦安县），但关于他的出生地，历来存在多种说法。最为广泛流传的是他出生于蜀郡绵州昌隆县（今四川省江油市青莲乡）。他成长于一个文化氛围浓厚的家庭，自幼便展现出对文学的浓厚兴趣和天赋。他热爱读书，尤其痴迷于诗词歌赋，常常沉浸于文字的海洋中，寻找着心灵的寄托和创作的灵感。

青年时期的李白，怀揣着对自由和浪漫的向往，开始游历四方。他走过名山大川，见识了各地的风土人情，这些经历不仅丰富了他的阅历，也为他的诗歌创作提供了源源不断的素材。他的足迹遍布大江南北，从繁华的都市到偏远的乡村，从险峻的山川到秀丽的湖泊，都留下了他的身影和诗篇。

在游历的过程中，李白结识了许多志同道合的朋友，如杜甫、贺知章等。他们一起饮酒赋诗，畅谈人生理想，共同探索诗歌的奥秘。这些友谊不仅丰富了李白的人生经历，也为他的诗歌创作注入了新的活力。

李白的诗歌风格独特，他的诗作充满了豪情壮志和奔放不羁的精神。他善于运用丰富的想象力和生动的比喻，将自然景物与人生哲理相结合，创造出独具特色的艺术境界。他的诗歌既有对山水风光的赞美，也有对人生哲理的思考，更有对自由与浪漫的向往。他的诗作中充满了对生命、爱情、友谊和自然的深情吟咏，表达了他对人生真谛的深刻洞察和独特理解。

然而，李白的人生并非一帆风顺。他多次入仕，但始终未能得志。他的才华和个性使他与当时的官场格格不入，他无法忍受官场的繁文缛节和虚伪逢迎。最终，他选择放弃仕途，放浪形骸，寄情山水，将自己的情感和感悟融入诗歌创作中。

晚年的李白，生活虽然清贫，但他的创作热情却丝毫未减。他依然坚持写诗，将自己的感悟和情感融入字里行间，留下了许多脍炙人口的作品。他的诗歌中透露出一种坚韧不拔的精神和对人生真谛的深刻洞察。

公元 762 年，李白因病逝世，享年六十二岁。他的离世，让诗坛失去了一颗璀璨的明星，但他的诗歌却永远铭刻在人们的心中。他的形象和精神成为了中国文化中的一个重要符号，激励着后世的文人墨客不断追求自由、浪漫和真理。

总的来说，李白是一位具有卓越才华和传奇色彩的诗人。他的一生充满了跌宕起伏和传奇色彩，他的诗歌作品则是中国文学史上的瑰宝。他的形象和精神将永远铭刻在人们的心中，成为后人敬仰和学习的典范。他的诗歌将继续照耀着中国文学的天空，为后世留下无尽的瑰宝。

Chapter 12 (Biography Part 12)

李白，字太白，号青莲居士，又号"谪仙人"，生于公元 701 年，卒于公元 762 年，享年六十二岁。他的祖籍位于陇西成纪（今甘肃省秦安县），然而关于他的出生地，历史上存在不同的说法，其中最为人们所熟知的是他出生于蜀郡绵州昌隆县（今四川省江油市青莲乡）。李白的一生充满了传奇色彩，他的诗歌才华横溢，被后人誉为"诗仙"，是中国古代文学史上的璀璨明星。

李白自幼聪颖过人，对文学产生了浓厚的兴趣。他热爱读书，尤其痴迷于诗词歌赋，常常沉浸在文字的世界中，寻找心灵的寄托和创作的灵感。他的才华得到了家人的赞赏和期待，为他日后的文学成就奠定了坚实的基础。

青年时期的李白怀揣着对自由和浪漫的向往，开始游历四方。他走过名山大川，见识了各地的风土人情，这些经历不仅丰富了他的阅历，也为他的诗歌创作提供了源源不断的素材。他的足迹遍布大江南北，从繁华的都市到偏远的乡村，从险峻的山川到秀丽的湖泊，都留下了他的身影和诗篇。

在游历的过程中，李白结识了许多志同道合的朋友，如杜甫、贺知章等。他们一起饮酒赋诗，畅谈人生理想，共同探索诗歌的奥秘。这些友谊不仅丰富了李白的人生经历，也为他的诗歌创作注入了新的活力。

李白的诗歌风格独特，充满了豪情壮志和奔放不羁的精神。他善于运用丰富的想象力和生动的比喻，将自然景物与人生哲理相结合，创造出独具特色的艺术境界。他的诗歌既有对山水风光的赞美，也有对人生哲理的思考，更有对自由与浪漫的向往。他的诗作中充满了对生命、爱情、友谊和自然的深情吟咏，表达了他对人生真谛的深刻洞察和独特理解。

然而，李白的人生并非一帆风顺。他多次入仕，但始终未能得志。他的才华和个性使他与当时的官场格格不入，他无法忍受官场的繁文缛节和虚伪逢迎。最终，他选择放弃仕途，放浪形骸，寄情山水，将自己的情感和感悟融入诗歌创作中。

晚年的李白，生活虽然清贫，但他的创作热情却丝毫未减。他依然坚持写诗，将自己的感悟和情感融入字里行间，留下了许多脍炙人口的作品。他的诗歌中透露出一种坚韧不拔的精神和对人生真谛的深刻洞察。

公元 762 年，李白因病逝世，他的离世让诗坛失去了一颗璀璨的明星。然而，他的诗歌却永远铭刻在人们的心中，他的形象和精神成为了中国文化中的一个重要符号。他的诗歌作品不仅展示了他的才情和个性，也反映了唐代社会的风貌和人民的情感。他的诗歌将继续照耀着中国文学的天空，为后世留下无尽的瑰宝。

总的来说，李白是一位具有卓越才华和传奇色彩的诗人。他的一生充满了跌宕起伏和传奇色彩，他的诗歌作品则是中国文学史上的瑰宝。他的形象和精神将永远铭刻在人们的心中，成为后人敬仰和学习的典范。

李白，字太白，号青莲居士，又号"谪仙人"，生于公元 701 年，卒于公元 762 年，享年六十二岁。他的祖籍位于陇西成纪（今甘肃省秦安县），然而关于他的出生地，历史上存在不同的说法，其中最为人们所接受的是他出生于蜀郡绵州昌隆县（今四川省江油市青莲乡）。李白的一生，充满了传奇色彩，他的诗歌才华横溢，被后人誉为"诗仙"，在中国古代文学史上占据着举足轻重的地位。

李白自幼聪颖过人，他热爱读书，尤其痴迷于诗词歌赋。他天赋异禀，善于观察生活，从中汲取灵感，创作出许多脍炙人口的诗篇。他的才华得到了家人的赞赏和期待，为他日后的文学成就奠定了坚实的基础。

青年时期的李白怀揣着对自由和浪漫的向往，开始游历四方。他走过名山大川，见识了各地的风土人情，这些经历不仅丰富了他的阅历，也为他的诗歌创作提供了源源不断的素材。他游历过繁华的都市，也深入过偏远的乡村；他攀登过险峻的山川，也欣赏过秀丽的湖泊。这些经历使他的诗歌更加贴近生活，充满了真挚的情感。

在游历的过程中，李白结识了许多志同道合的朋友，如杜甫、贺知章等。他们一起饮酒赋诗，畅谈人生理想，共同探索诗歌的奥秘。这些友谊不仅丰富了李白的人生经历，也为他的诗歌创作注入了新的活力。他们之间的交流与碰撞，激发出更多的创作灵感，共同推动了中国古代文学的发展。

李白的诗歌风格独特，充满了豪情壮志和奔放不羁的精神。他的诗作情感丰富，意境深远，既有对山水风光的赞美，也有对人生哲理的思考。他善于运用丰富的想象力和生动的比喻，将自然景物与人生哲理相结合，创造出独具特色的艺术境界。他的诗歌语言简练明快，节奏鲜明，富有音乐性和韵律感，读起来朗朗上口，让人陶醉其中。

然而，李白的人生并非一帆风顺。他多次入仕，但始终未能得志。他的才华和个性使他与当时的官场格格不入，他无法忍受官场的繁文缛节和虚伪逢迎。最终，他选择放弃仕途，放浪形骸，寄情山水，将自己的情感和感悟融入诗歌创作中。

晚年的李白，生活虽然清贫，但他的创作热情却丝毫未减。他依然坚持写诗，将自己的感悟和情感融入字里行间，留下了许多脍炙人口的作品。他的诗歌中透露出一种坚韧不拔的精神和对人生真谛的深刻洞察。

公元762年，李白因病逝世，他的离世让诗坛失去了一颗璀璨的明星。然而，他的诗歌却永远铭刻在人们的心中，他的形象和精神成为了中国文化中的一个重要符号。他的诗歌作品不仅展示了他的才情和个性，也反映了唐代社会的风貌和人民的情感。他的诗歌将继续照耀着中国文学的天空，为后世留下无尽的瑰宝。

总的来说，李白是一位具有卓越才华和传奇色彩的诗人。他的一生充满了跌宕起伏和传奇色彩，他的诗歌作品则是中国文学史上的瑰宝。他的诗歌才华和个性魅力使他成为后世敬仰的诗人典范，他的形象和精神将永远铭刻在人们的心中，成为后人敬仰和学习的典范。

Chapter 14 (Biography Part 14)

李白，字太白，号青莲居士，被誉为"诗仙"，生于公元 701 年，卒于公元 762 年，享年六十二岁。他的祖籍位于陇西成纪（今甘肃省秦安县），但关于他的出生地，历史上存在多种说法，其中最为广泛接受的是他出生于蜀郡绵州昌隆县（今四川省江油市青莲乡）。李白的一生充满了传奇色彩，他的诗歌才华横溢，作品流传千古，成为了中国文学史上的一座丰碑。

李白自幼聪慧过人，喜爱读书，尤其痴迷于诗词歌赋。他天赋异禀，善于观察生活，从中汲取灵感，创作出许多脍炙人口的诗篇。他的才华得到了家人的赞赏和期待，为他日后的文学成就奠定了坚实的基础。

青年时期的李白怀揣着对自由和浪漫的向往，开始游历四方。他遍访名山大川，领略了各地的风土人情，这些经历不仅丰富了他的阅历，也为他的诗歌创作提供了源源不断的素材。他的足迹遍布大江南北，从繁华的都市到偏远的乡村，从险峻的山川到秀丽的湖泊，都留下了他的身影和诗篇。

在游历的过程中，李白结识了许多志同道合的朋友，如杜甫、贺知章等。他们一起饮酒赋诗，畅谈人生理想，共同探索诗歌的奥秘。这些友谊不仅丰富了李白的人生经历，也为他的诗歌创作注入了新的活力。他们的诗歌交流，彼此碰撞出更多的灵感火花，共同推动了中国古代文学的发展。

李白的诗歌风格独特，充满了豪情壮志和奔放不羁的精神。他的诗作情感丰富，意境深远，既有对山水风光的赞美，也有对人生哲理的思考。

他善于运用丰富的想象力和生动的比喻，将自然景物与人生哲理相结合，创造出独具特色的艺术境界。他的诗歌语言简练明快，节奏鲜明，富有音乐性和韵律感，读起来朗朗上口，令人陶醉。

然而，尽管李白在诗歌创作上取得了卓越的成就，他的人生却并非一帆风顺。他多次尝试入仕，但始终未能如愿。他的才华和个性使他与当时的官场格格不入，他无法忍受官场的繁文缛节和虚伪逢迎。最终，他选择放弃仕途，放浪形骸，寄情山水，将自己的情感和感悟融入诗歌创作中。

晚年的李白，生活虽然清贫，但他的创作热情却丝毫未减。他依然坚持写诗，将自己的感悟和情感融入字里行间，留下了许多脍炙人口的作品。他的诗歌中透露出一种坚韧不拔的精神和对人生真谛的深刻洞察。

公元762年，李白因病逝世，他的离世让诗坛失去了一颗璀璨的明星。然而，他的诗歌却永远铭刻在人们的心中，他的形象和精神成为了中国文化中的一个重要符号。他的诗歌作品不仅展示了他的才情和个性，也反映了唐代社会的风貌和人民的情感。他的诗歌将继续照耀着中国文学的天空，为后世留下无尽的瑰宝。

总的来说，李白是一位具有卓越才华和传奇色彩的诗人。他的一生充满了跌宕起伏和传奇色彩，他的诗歌作品则是中国文学史上的瑰宝。他的诗歌才华和个性魅力使他成为后世敬仰的诗人典范，他的形象和精神将永远铭刻在人们的心中，成为后人敬仰和学习的典范。他的诗歌将永远流传下去，成为中国文化中的一颗璀璨明珠。

Chapter 15 (Biography Part 15)

李白，字太白，号青莲居士，祖籍陇西成纪（今甘肃省秦安县），唐朝伟大的浪漫主义诗人，被后人誉为"诗仙"，与杜甫并称为"李杜"。他的诗歌风格奔放豪迈、清新淡雅、清辉灿烂，成为唐代以来文学风格的一种重要表现形式。

李白出生于蜀郡绵州昌隆县（今四川省江油市青莲乡），也有说法认为他出生于西域碎叶。他成长于盛唐时期，年少时饱读诗书，聪慧过人，怀揣着"济苍生、安黎民"的远大理想。他的诗歌思想强调个人的自由和人性的尊严，反对权威和束缚，追求自然、追求人生的真谛。这种思想倡导个性的张扬和发挥，强调个人的独立思考和自由选择，对中国文化的自由思想和民主精神产生了深远的影响。

李白一生游历各地，遍访名山大川，结交了众多的贤达之士。他的诗篇充满了对大自然的热爱和对人生的深刻洞察，如《望庐山瀑布》、《行路难》、《蜀道难》等，都是脍炙人口的名篇。他的诗歌语言明快直白、节奏感强，对后世诗歌的发展产生了深远的影响。

李白曾经得到唐玄宗李隆基的赏识，担任翰林供奉，但因得罪权贵，不久便遭赐金放还。他并没有因此沮丧，反而以此为契机，游历全国，体验世间百态，继续创作出许多优秀的诗篇。

唐肃宗李亨即位后，李白因卷入永王之乱而被流放夜郎，途中写下《早发白帝城》等脍炙人口的诗篇。在流放期间，他历经磨难，但始终保持着乐观的人生态度，坚信自己的才华和理想。

上元二年，李白去世，享年六十二岁。他的一生充满了传奇色彩，他的诗歌成就卓越，被后世誉为"诗仙"，成为中国文学史上的一位巨匠。

李白的诗歌不仅具有极高的艺术价值，而且深刻反映了唐代社会的风貌和人民的精神面貌。他的诗歌充满了对自由、真理和个性的追求，对后世文学创作产生了深远的影响。他的作品被广泛传颂，成为中华民族的文化瑰宝。

总的来说，李白是一位具有卓越才华和独特个性的诗人，他的诗歌和生平事迹都充满了传奇色彩。他的诗歌成就和文学地位无人能及，他的思想和精神影响了后世无数文学创作者和读者。他的一生虽然充满了坎坷和挫折，但他始终保持着乐观的人生态度和坚定的理想信念，成为后世敬仰和学习的楷模。

Chapter 16 (Biography Part 16)

李白：诗仙的传奇人生

李白，字太白，号青莲居士，出生于唐代的蜀郡绵州昌隆县（今四川江油），祖籍陇西成纪（今甘肃秦安）。他的一生充满了传奇色彩，被誉为"诗仙"，是中国古代文学史上的璀璨明星。

李白少年时期便表现出非凡的才华和聪颖。他热爱读书，尤其痴迷于诗词歌赋，常常沉浸在书海中，汲取着知识的甘露。他的才情横溢，很快就在当地声名鹊起，被人们赞誉为"神童"。

成年后，李白开始游历四方，遍访名山大川，结交文人墨客。他的足迹遍布大江南北，从繁华的京都到边远的塞外，从秀丽的江南水乡到苍茫的西北大漠，都留下了他的诗篇和足迹。这些游历经历不仅丰富了他的生活阅历，也为他的创作提供了无尽的灵感。

李白的诗歌风格独特，充满了豪放不羁、奔放自如的气息。他的诗作语言明快、意境深远，既有对大自然的赞美，也有对人生的思考。他的《望庐山瀑布》、《行路难》、《将进酒》等作品，都成为了中国文学史上的经典之作，被后人广为传颂。

在政治上，李白也曾有过短暂的得意。他得到了唐玄宗的赏识，担任了翰林供奉的职位。然而，他性格直率，不善于逢迎权贵，很快就遭到了排挤和打压。最终，他被赐金放还，结束了短暂的仕途生涯。

尽管仕途失意，但李白并没有因此沉沦。他继续游历四方，以诗酒为伴，过着逍遥自在的生活。他的诗歌创作也达到了巅峰状态，留下了许多脍炙人口的名篇佳作。

然而，李白的一生并非一帆风顺。在安史之乱期间，他因卷入永王李璘的叛乱而被流放夜郎。虽然途中遭遇了重重困难，但他依然保持着乐观豁达的心态，写下了许多反映流放生活的诗篇。最终，他在流放途中遇赦得还，结束了这段艰辛的历程。

晚年的李白依然保持着旺盛的创作热情。他的诗歌风格更加成熟和深邃，反映了他对人生和社会的深刻洞察。然而，他的身体却逐渐衰弱，最终在上元二年因病去世，享年六十二岁。

李白的一生充满了传奇色彩和浪漫气息。他的诗歌成就卓越，影响深远，成为了中国古代文学史上的璀璨明星。他的人格魅力和精神风貌也深深地影响了后世的人们，成为了他们追求自由、真理和个性的典范。

在今天，我们依然可以感受到李白诗歌的魅力和力量。他的作品不仅是中国文化的瑰宝，也是全人类共同的精神财富。让我们怀着敬仰之情，继续传颂这位伟大诗人的传奇人生和卓越成就吧！

Chapter 17 (Biography Part 17)

李白：诗仙的辉煌人生与传世诗篇

李白，字太白，号青莲居士，唐代著名的浪漫主义诗人，被后人誉为"诗仙"。他的一生充满了传奇色彩，诗歌创作独步天下，成为中国文学史上的璀璨明珠。

李白出生于唐代的蜀郡绵州昌隆县（今四川江油），祖籍陇西成纪（今甘肃秦安）。他的童年时期便展现出了非凡的才华，聪颖过人，喜爱读书，尤其痴迷于诗词歌赋。他的才华很快便在当地名声大噪，被誉为"神童"。

成年后，李白开始了他的游历生涯。他遍访名山大川，结交文人墨客，足迹遍布大江南北。这些游历经历不仅丰富了他的生活阅历，也为他的诗歌创作提供了无尽的灵感。他的诗篇中充满了对大自然的热爱和对人生的深刻洞察，如《望庐山瀑布》、《行路难》等作品，都展现了他卓越的诗歌才华和独特的艺术风格。

在政治上，李白也曾有过短暂的得意。他得到了唐玄宗的赏识，担任了翰林供奉的职位。然而，他性格直率，不善于逢迎权贵，很快就遭到了排挤和打压。最终，他被赐金放还，结束了短暂的仕途生涯。这段经历对李白的人生产生了深远的影响，使他更加专注于诗歌创作，追求内心的自由和真理。

尽管仕途失意，但李白并没有因此沉沦。他继续游历四方，以诗酒为伴，过着逍遥自在的生活。他的诗歌创作也达到了巅峰状态，留下了许多脍炙人口的名篇佳作。他的诗歌风格独特，既有豪放不羁的奔放，又有清新脱俗的雅致，展现了他独特的艺术魅力。

然而，李白的一生并非一帆风顺。在安史之乱期间，他因卷入永王李璘的叛乱而被流放夜郎。虽然途中遭遇了重重困难，但他依然保持着乐观豁达的心态，写下了许多反映流放生活的诗篇。这些诗篇不仅表达了他对命运的无奈和抗争，也展现了他坚韧不拔的精神风貌。

晚年的李白依然保持着旺盛的创作热情。他的诗歌风格更加成熟和深邃，反映了他对人生和社会的深刻洞察。然而，他的身体却逐渐衰弱，最终在上元二年因病去世，享年六十二岁。

李白的一生充满了传奇色彩和浪漫气息。他的诗歌成就卓越，影响深远，不仅在中国文学史上占有重要地位，也对世界文化产生了广泛的影响。他的人格魅力和精神风貌深深地影响了后世的人们，成为了他们追求自由、真理和个性的典范。

今天，我们依然可以感受到李白诗歌的魅力和力量。他的作品不仅是中国文化的瑰宝，也是全人类共同的精神财富。让我们怀着敬仰之情，继续传颂这位伟大诗人的辉煌人生和传世诗篇吧！

Chapter 18 (Biography Part 18)

李白：诗仙的辉煌人生

李白，字太白，号青莲居士，唐朝伟大的浪漫主义诗人，被誉为"诗仙"。他的一生充满了传奇色彩，诗歌创作独步天下，成为中华文化史上的一颗璀璨明珠。

李白于公元 701 年出生于蜀郡绵州昌隆县（今四川江油），祖籍陇西成纪（今甘肃秦安）。他的童年时期便展现出非凡的才华，聪颖过人，热爱读书，尤其痴迷于诗词歌赋。他的才华很快便在当地名声大噪，被誉为"神童"。

成年后，李白开始了他的游历生涯。他遍访名山大川，结交文人墨客，足迹遍布大江南北。他游历过繁华的京都长安，感受过边塞的苍凉，也领略过江南水乡的秀美。这些游历经历不仅丰富了他的生活阅历，也为他的诗歌创作提供了无尽的灵感。

李白的诗歌风格独特，既有豪放不羁的奔放，又有清新脱俗的雅致。他的诗篇中充满了对大自然的热爱和对人生的深刻洞察，如《望庐山瀑布》、《行路难》等作品，都展现了他卓越的诗歌才华和独特的艺术风格。他的诗歌语言明快，节奏感强，意境深远，令人陶醉。

在政治上，李白也曾有过短暂的得意。他得到了唐玄宗的赏识，担任了翰林供奉的职位。然而，他性格直率，不善于逢迎权贵，很快就遭到了排挤和打压。最终，他被赐金放还，结束了短暂的仕途生涯。这段经历对李白的人生产生了深远的影响，使他更加专注于诗歌创作，追求内心的自由和真理。

尽管仕途失意，但李白并没有因此沉沦。他继续游历四方，以诗酒为伴，过着逍遥自在的生活。他的诗歌创作也达到了巅峰状态，留下了许多脍炙人口的名篇佳作。他与杜甫的友情更是成为了千古佳话，两人相互唱和，共同推动了唐代诗歌的繁荣。

然而，李白的一生并非一帆风顺。在安史之乱期间，他因卷入永王李璘的叛乱而被流放夜郎。虽然途中遭遇了重重困难，但他依然保持着乐观豁达的心态，写下了许多反映流放生活的诗篇。这些诗篇不仅表达了他对命运的无奈和抗争，也展现了他坚韧不拔的精神风貌。

晚年的李白依然保持着旺盛的创作热情。他的诗歌风格更加成熟和深邃，反映了他对人生和社会的深刻洞察。然而，他的身体却逐渐衰弱，最终在上元二年因病去世，享年六十二岁。

李白的一生充满了传奇色彩和浪漫气息。他的诗歌成就卓越，影响深远，不仅在中国文学史上占有重要地位，也对世界文化产生了广泛的影响。他的人格魅力和精神风貌深深地影响了后世的人们，成为了他们追求自由、真理和个性的典范。

今天，我们依然可以感受到李白诗歌的魅力和力量。他的作品不仅是中国文化的瑰宝，也是全人类共同的精神财富。让我们怀着敬仰之情，继续传颂这位伟大诗人的辉煌人生吧！

Chapter 19 (Biography Part 19)

李白：诗仙的传奇人生

李白，字太白，号青莲居士，出生于唐代的蜀郡绵州昌隆县（今四川江油），祖籍陇西成纪（今甘肃秦安）。他的一生充满了传奇色彩，被誉为"诗仙"，其诗歌创作独步天下，成为中华文化史上的一颗璀璨明珠。

李白自幼聪慧过人，酷爱读书，尤其钟爱诗词歌赋。他的童年便展现出非凡的才华，被当地人誉为"神童"。他的求知欲望十分强烈，不仅饱读诗书，还广泛涉猎历史、哲学等多个领域，为他日后的诗歌创作奠定了坚实的基础。

成年后，李白开始游历四方，遍访名山大川，结交文人墨客。他的足迹遍布大江南北，从繁华的京都长安到边远的塞外，从秀丽的江南水乡到苍茫的西北大漠，都留下了他的诗篇和足迹。这些游历经历不仅丰富了他的生活阅历，也为他提供了无尽的创作灵感。

李白的诗歌风格独特，既有豪放不羁的奔放，又有清新脱俗的雅致。他的诗篇中充满了对大自然的热爱和对人生的深刻洞察，如《望庐山瀑布》、《行路难》等作品，都展现了他卓越的诗歌才华和独特的艺术风格。他的诗歌语言明快，节奏感强，意境深远，读来令人陶醉。

在政治上，李白也曾有过短暂的得意。他得到了唐玄宗的赏识，担任了翰林供奉的职位。然而，他性格直率，不善于逢迎权贵，很快就遭到了排挤和打压。最终，他被赐金放还，结束了短暂的仕途生涯。这段经历让李白更加深刻地认识到权贵的虚伪和官场的险恶，也使他更加坚定了追求自由、真理和个性的信念。

尽管仕途失意，但李白并没有因此沉沦。他继续游历四方，以诗酒为伴，过着逍遥自在的生活。他与杜甫、高适等文人墨客的交往更是成为了千古佳话，他们相互唱和，共同推动了唐代诗歌的繁荣。

然而，李白的一生并非一帆风顺。在安史之乱期间，他因卷入永王李璘的叛乱而被流放夜郎。虽然途中遭遇了重重困难，但他依然保持着乐观豁达的心态，写下了许多反映流放生活的诗篇。这些诗篇不仅表达了他对命运的无奈和抗争，也展现了他坚韧不拔的精神风貌。

晚年的李白虽然身体逐渐衰弱，但他的创作热情却从未减退。他的诗歌风格更加成熟和深邃，反映了他对人生和社会的深刻洞察。最终，他在上元二年因病去世，享年六十二岁。

李白的一生充满了传奇色彩和浪漫气息。他的诗歌成就卓越，影响深远，不仅在中国文学史上占有重要地位，也对世界文化产生了广泛的影响。他的人格魅力和精神风貌深深地影响了后世的人们，成为了他们追求自由、真理和个性的典范。

今天，我们依然可以感受到李白诗歌的魅力和力量。他的作品不仅是中国文化的瑰宝，也是全人类共同的精神财富。让我们怀着敬仰之情，继续传颂这位伟大诗人的传奇人生吧！

Chapter 20 (Biography Part 20)

李白，字太白，号青莲居士，又号"谪仙人"，祖籍陇西成纪（今甘肃省秦安县），出生于蜀郡绵州昌隆县（一说出生于西域碎叶）。他生于公元 701 年 2 月 28 日，逝世于公元 762 年 12 月，享年六十二岁。作为唐朝伟大的浪漫主义诗人，李白的一生充满了传奇色彩，他的诗作流传千古，被誉为"诗仙"，与诗圣杜甫并称"李杜"。

李白出生于贫寒之家，父母早逝，使他从小便怀揣着追求自由独立的决心。他在少年时期就展现出了极高的才华和对文学的浓厚兴趣。早年曾在当地的农学校学习，后来投靠了一位文人学习文学和诗歌的修养。经过多年的努力学习和锻炼，李白逐渐展露出他独特的诗歌才华和个性。

李白的诗歌风格奔放豪迈、清新淡雅、清辉灿烂，成为唐代以来文学风格的一种重要表现形式。他善于运用形象生动的描写手法，以及比喻和象征的修辞手法，将自然景物与人生哲理相结合，表达了他对自由、浪漫和人生意义的追求。他的诗作以抒发个人感受、追求自由自在的生活态度为主题，同时也充满了对自然景物、历史事件和社会现象的独到观察和深入思考。

李白的诗歌才华很快得到了唐玄宗李隆基的赏识，担任翰林供奉。然而，他的个性独立，不愿屈从权贵，最终赐金放还，游历全国。在此期间，他游历了许多地方，遇见了不少志同道合的朋友，他的诗作也越发成熟，充满了对自然、对人生的独特感悟。

唐肃宗李亨即位后，李白卷入了永王之乱，被流放夜郎。然而，这并未磨灭他的创作热情，他的诗作中流露出对国家复兴和社会和谐的向往，表达了对战乱和苦难的痛心之情。在流放期间，他依然坚持创作，留下了许多脍炙人口的诗篇。

上元二年，李白在当涂县令李阳冰家去世。他的一生充满了传奇色彩，他的诗歌作品数量众多，题材广泛，以抒发个人情感和自然景物描写为主，同时也写了不少抒发社会现实和政治抱负的作品。

李白的思想强调个人的自由和人性的尊严，反对权威和束缚，追求自然、追求人生的真谛。他的思想倡导个性的张扬和发挥，强调个人的独立思考和自由选择，对中国文化的自由思想和民主精神产生了重要的影响。

总的来说，李白是一位才华横溢、个性独立的诗人，他的诗歌充满了艺术魅力，对后世文学创作者产生了深远的影响。他的诗歌作品在中国文学史上占有重要地位，被誉为中国古代文学的瑰宝。

Chapter 21 (Biography Part 21)

李白，字太白，号青莲居士，唐朝伟大的浪漫主义诗人，被誉为"诗仙"。他出生于公元 701 年，逝世于公元 762 年，享年六十二岁。李白的一生充满了传奇色彩，他的诗歌作品流传千古，成为中国文学史上的一颗璀璨明珠。

李白出生于陇西成纪的一个普通家庭。早年便展现出了极高的文学天赋和独立思考的精神。他勤奋好学，博览群书，逐渐形成了自己独特的诗歌风格。他的诗歌作品情感丰富，意境深远，既有对自然景物的细腻描绘，又有对人生哲理的深刻思考。

李白在青年时期便离开了故乡，开始游历四方。他走过了名山大川，结交了许多志同道合的朋友，积累了丰富的生活经验和创作灵感。在游历过程中，他深入观察社会现实，关注民生疾苦，用诗歌表达了对国家和人民的深切关怀。

李白的诗歌才华很快得到了唐玄宗的赏识，被召入宫中担任翰林供奉。然而，他个性独立，不愿屈从权贵，最终选择了离开宫廷，继续他的游历生涯。在游历过程中，他结识了许多文人墨客，与他们共同探讨诗歌创作，相互激发灵感。

然而，李白的命运并非一帆风顺。在唐肃宗李亨即位后，他因卷入了永王之乱而被流放夜郎。流放期间，李白饱受磨难，但他依然坚持创作，用诗歌表达了对自由和理想的追求。在流放期间，他写下了许多感人肺腑的诗篇，抒发了他对国家兴衰和人民疾苦的忧虑与关切。

上元二年，李白在当涂县令李阳冰的家中去世。他的一生充满了传奇色彩，他的诗歌作品数量众多，题材广泛，既有豪放奔放的诗篇，又有清新淡雅的小品。他的诗歌以抒发个人情感和自然景物描写为主，同时也深刻反映了社会现实和政治状况。

李白的思想强调个性自由和人性的尊严，他反对权威和束缚，追求自然和真实。他的诗歌中充满了对自由、浪漫和人生意义的追求，表达了他对自然和人生的独特感悟。他的思想对中国文化的自由思想和民主精神产生了深远的影响。

总的来说，李白是一位才华横溢、个性独立的诗人，他的诗歌充满了艺术魅力，对后世文学创作者产生了深远的影响。他的诗歌作品在中国文学史上占有重要地位，被誉为中国古代文学的瑰宝。他的一生虽然充满了坎坷和磨难，但他的诗歌却永远闪耀着光芒，照亮了后人前行的道路。

Chapter 22 (Biography Part 22)

李白，字太白，号青莲居士，生于唐朝时期的陇西成纪，即今甘肃省秦安县。他的一生波澜壮阔，充满了传奇色彩，被誉为"诗仙"，是唐代文学史上的一位巨星。

李白早年便展现出了非凡的才华。他聪明过人，对文学怀有浓厚的兴趣。年少时，他饱读诗书，广泛涉猎各类文学作品，逐渐形成了自己独特的诗歌风格。他的诗歌充满了豪放奔放的激情，语言简练明快，意境深远，让人读后心潮澎湃。

成年后，李白开始游历四方，足迹遍布大江南北。他走过名山大川，欣赏过各地的风土人情，结交了众多志同道合的朋友。这些游历经历不仅丰富了他的生活阅历，也为他的诗歌创作提供了源源不断的灵感。

在游历过程中，李白逐渐形成了自己的诗歌理论。他强调诗歌应抒发个人情感，表达真实感受，追求自然、真实和自由的创作风格。他的诗歌作品情感真挚，意境深远，既有对自然景物的细腻描绘，又有对人生哲理的深刻思考。

李白的诗歌才华很快得到了唐玄宗的赏识，被召入宫中担任翰林供奉。然而，他个性独立，不愿屈从权贵，最终选择了离开宫廷，继续他的游历生涯。在宫廷的日子里，他目睹了权贵的奢华与腐败，对社会的黑暗面有了更深刻的认识，这也为他日后的诗歌创作提供了丰富的素材。

然而，李白的命运并非一帆风顺。在唐肃宗李亨即位后，他因卷入了永王之乱而被流放夜郎。流放期间，李白饱受磨难，但他依然坚持创作，用诗歌表达了对自由和理想的追求。在流放的日子里，他写下了许多感人肺腑的诗篇，抒发了他对国家兴衰和人民疾苦的忧虑与关切。

最终，李白在上元二年因病在当涂县令李阳冰的家中去世，享年六十二岁。他的一生虽然短暂，但他的诗歌作品却流传千古，成为中国文学史上的一颗璀璨明珠。

李白的诗歌作品数量众多，题材广泛，既有豪放奔放的诗篇，又有清新淡雅的小品。他的诗歌以抒发个人情感和自然景物描写为主，同时也深刻反映了社会现实和政治状况。他的诗歌语言简练明快，意境深远，让人读后回味无穷。

李白的思想强调个性自由和人性的尊严，他反对权威和束缚，追求自然和真实。他的诗歌中充满了对自由、浪漫和人生意义的追求，表达了他对自然和人生的独特感悟。他的思想对中国文化的自由思想和民主精神产生了深远的影响。

总的来说，李白是一位才华横溢、个性独立的诗人，他的诗歌充满了艺术魅力，对后世文学创作者产生了深远的影响。他的一生虽然充满了坎坷和磨难，但他的诗歌却永远闪耀着光芒，照亮了后人前行的道路。他用自己的才情和生命，书写了一段不朽的传奇。

Chapter 23 (Biography Part 23)

李白，字太白，号青莲居士，出生于唐朝时期的陇西成纪（今甘肃省秦安县）。他的一生波澜壮阔，充满传奇色彩，被誉为"诗仙"，是唐代文学史上的一位巨星。

李白出生在一个普通家庭，早年便展现出非凡的才华和文学天赋。他饱读诗书，广泛涉猎各类文学作品，逐渐形成了自己独特的诗歌风格。他的诗歌充满了豪放奔放的激情，语言简练明快，意境深远，令人读后心潮澎湃。

成年后，李白开始游历四方，足迹遍布大江南北。他走过名山大川，欣赏各地的风土人情，结交了许多志同道合的朋友。这些游历经历不仅丰富了他的生活阅历，也为他的诗歌创作提供了源源不断的灵感。他深入观察社会现实，关注民生疾苦，用诗歌表达了对国家和人民的深切关怀。

在游历过程中，李白逐渐形成了自己的诗歌理论。他强调诗歌应抒发个人情感，表达真实感受，追求自然、真实和自由的创作风格。他的诗歌情感真挚，意境深远，既有对自然景物的细腻描绘，又有对人生哲理的深刻思考。

李白的才华很快得到了唐玄宗的赏识，被召入宫中担任翰林供奉。然而，他个性独立，不愿屈从权贵，最终选择了离开宫廷，继续他的游历生涯。在宫廷的日子里，他目睹了权贵的奢华与腐败，对社会的黑暗面有了更深刻的认识，这也为他日后的诗歌创作提供了丰富的素材。

然而，李白的命运并非一帆风顺。在唐肃宗李亨即位后，他因卷入了永王之乱而被流放夜郎。流放期间，李白饱受磨难，但他依然坚持创作，用诗歌表达了对自由和理想的追求。在流放的日子里，他写下了许多感人肺腑的诗篇，抒发了他对国家兴衰和人民疾苦的忧虑与关切。

最终，李白在上元二年因病在当涂县令李阳冰的家中去世，享年六十二岁。他的一生虽然短暂，但他的诗歌作品却流传千古，成为中国文学史上的一颗璀璨明珠。

李白的诗歌作品数量众多，题材广泛，包括山水诗、边塞诗、送别诗、怀古诗等。他的诗歌语言简练明快，意境深远，既体现了对自然的热爱和向往，又表达了对社会现实的深刻反思。他的诗作中充满了对自由、浪漫和人生意义的追求，展现了他独特的个性和思想。

李白的思想强调个性自由和人性的尊严，他反对权威和束缚，追求自然和真实。他的诗歌中充满了对自由精神的向往和对人生真谛的探索。他的思想对中国文化的自由思想和民主精神产生了深远的影响，成为后世文人墨客追求自由、表达个性的典范。

总的来说，李白是一位才华横溢、个性独立的诗人，他的诗歌充满了艺术魅力，对后世文学创作者产生了深远的影响。他的一生虽然充满了坎坷和磨难，但他的诗歌却永远闪耀着光芒，照亮了后人前行的道路。他用自己的才情和生命，书写了一段不朽的传奇，成为中国文学史上的一位巨星。

Chapter 24 (Biography Part 24)

李白，字太白，号青莲居士，唐朝时期的杰出诗人，被誉为"诗仙"。他的一生充满了传奇色彩，其诗歌作品流传千古，成为中华文化宝库中的瑰宝。

李白出生于公元 701 年，他的祖籍是陇西成纪（今甘肃省秦安县）。早年，李白便展现出了非凡的才华和文学天赋。他饱读诗书，广泛涉猎各类文学作品，逐渐形成了自己独特的诗歌风格。他的诗歌语言简练明快，意境深远，情感真挚，充满了对自由、浪漫和人生意义的追求。

成年后，李白开始游历四方，足迹遍布大江南北。他走过名山大川，欣赏各地的风土人情，结交了许多志同道合的朋友。这些游历经历不仅丰富了他的生活阅历，也为他的诗歌创作提供了源源不断的灵感。他深入观察社会现实，关注民生疾苦，用诗歌表达了对国家和人民的深切关怀。

在游历过程中，李白逐渐形成了自己的诗歌理论。他强调诗歌应抒发个人情感，表达真实感受，追求自然、真实和自由的创作风格。他的诗歌情感真挚，意境深远，既有对自然景物的细腻描绘，又有对人生哲理的深刻思考。他的诗作中充满了对自由精神的向往和对人生真谛的探索，展现了他独特的个性和思想。

李白的才华很快得到了唐玄宗的赏识，被召入宫中担任翰林供奉。然而，他个性独立，不愿屈从权贵，最终选择了离开宫廷，继续他的游历生涯。在宫廷的日子里，他目睹了权贵的奢华与腐败，对社会的黑暗面有了更深刻的认识，这也为他日后的诗歌创作提供了丰富的素材。

然而，李白的命运并非一帆风顺。在唐肃宗李亨即位后，他因卷入了永王之乱而被流放夜郎。流放期间，李白饱受磨难，但他依然坚持创作，用诗歌表达了对自由和理想的追求。在流放的日子里，他写下了许多感人肺腑的诗篇，抒发了他对国家兴衰和人民疾苦的忧虑与关切。

在流放结束后，李白的生活并未变得平静。他继续游历各地，与友人相聚，创作诗歌。他的诗歌作品数量众多，题材广泛，包括山水诗、边塞诗、送别诗、怀古诗等。每一首诗都充满了他的才情与情感，展现出他独特的艺术风格。

最终，李白在上元二年因病在当涂县令李阳冰的家中去世，享年六十二岁。他的一生虽然短暂，但他的诗歌作品却流传千古，成为中国文学史上的一颗璀璨明珠。

李白的诗歌作品对中国文学产生了深远的影响。他的诗歌语言简练明快，意境深远，情感真挚，成为后世文人墨客追求自由、表达个性的典范。他的思想强调个性自由和人性的尊严，对中国文化的自由思想和民主精神产生了积极的推动作用。

总的来说，李白是一位才华横溢、个性独立的诗人。他的一生充满了传奇色彩，其诗歌作品充满了艺术魅力。他用自己的才情和生命，书写了一段不朽的传奇，成为中国文学史上的一位巨星。他的诗歌作品将永远闪耀着光芒，照亮后人前行的道路。

Chapter 25 (Biography Part 25)

李白，字太白，号青莲居士，被誉为"诗仙"，是中国唐朝时期的一位杰出诗人。他出生于公元 701 年，逝世于公元 762 年，享年六十二岁。祖籍陇西成纪（今甘肃省秦安县），但他自幼成长于蜀地，深受蜀地山水与文化之熏陶。

李白少年时期便展现出非凡的才华和独特的个性。他聪明过人，勤奋好学，尤其钟爱诗词歌赋。他深受道家思想的影响，崇尚自然，追求自由与无拘无束的生活。少年时期，李白便怀揣着对外面世界的向往，他渴望走出蜀地，遍历名山大川，体验更广阔的人生。

成年后，李白开始游历四方，足迹遍布大江南北。他遍历名山大川，结交天下英豪，与杜甫、孟浩然等诗人建立了深厚的友谊。他们一同游历山水，饮酒赋诗，畅谈天下大事，共同追求文学与人生的真谛。李白的诗篇在游历中不断涌现，每一首都充满了对生活的热爱和对自然的赞美。

李白的才华得到了唐玄宗的赏识，他曾被召入宫廷，担任翰林供奉。然而，他并不善于应对宫廷的繁文缛节和权谋斗争，最终选择了离开，继续他的游历生涯。他的人生充满了豪情壮志，他喜好饮酒，常常借酒抒怀，将豪情壮志、人生哲理融入诗中。

然而，李白的人生并非一帆风顺。他曾因政治风波被流放，也曾因生活困顿而四处奔波。但无论遭遇何种困境，他始终保持着乐观豁达的心态，以诗歌为伴，抒发内心的豪情与愤懑。他的诗篇充满了对人生和社会的深刻洞察，表达了他对自由、对理想的执着追求。

晚年时期，李白的生活愈发艰难，但他依然坚持创作。他的诗篇愈发深沉，充满了对人生和社会的反思。他关注人民的疾苦，抨击社会的黑暗面，表达了他对正义和公平的渴望。他的诗歌作品不仅表达了他个人的情感和思想，也反映了当时社会的风貌和人民的生活状态。

上元二年，李白因病在金陵（今南京）逝世，享年六十二岁。他的离世让诗坛失去了一颗璀璨的明珠，但他的诗歌却永远流传了下来，成为后人传颂的经典。

李白的诗歌作品数量众多，题材广泛，包括山水诗、送别诗、咏史诗等。他的诗歌语言优美，意境深远，充满了浪漫主义色彩。他的诗篇展现了他对自然、对人生、对社会的独特见解和深刻思考，充满了对生活的热爱和对理想的追求。

总的来说，李白是一位具有卓越才华和独特个性的伟大诗人。他的一生充满了传奇色彩，他的人生经历丰富多彩，他的诗歌作品独步天下。他的一生都在追求自由、追求理想，他的诗篇则是他内心世界的真实写照。他的才华、个性和人生经历，都使他成为了中国文学史上一座不朽的丰碑。